MES CHANSONS PRÉFÉRÉES

Illustrations de Natacha Toutain
et de Gérald Raimon
Adaptation musicale de
Elisabeth Bonmariage

Editions Hemma

Il pleut bergère

Il pleut, il pleut, bergère,
Rentre tes blancs moutons.
Allons à la chaumière,
Bergère, vite, allons.
J'entends, sur le feuillage,
L'eau qui coule à grand bruit.
Voici venir l'orage,
Voilà l'éclair qui luit.

Entends-tu le tonnerre?
Il roule en approchant.
Prends un abri, bergère,
A ma droite, en marchant.
Je vois notre cabane,
Et, tiens, voici venir
Ma mère et ma sœur Anne,
Qui vont l'étable ouvrir.

Bonsoir, bonsoir, ma mère;
Ma sœur Anne, bonsoir.
J'amène ma bergère
Près de vous pour ce soir.
Va te sécher, ma mie,
Auprès de nos tisons.
Sœur, fais-lui compagnie.
Entrez, petits moutons.

Soignons bien, ô ma mère.
Son tant joli troupeau;
Donnez plus de litière
A son petit agneau.
C'est fait. Allons près d'elle,
Eh bien! donc, te voilà!
En corset qu'elle est belle!
Ma mère, voyez-la!

Soupons, prends cette chaise,
Tu seras près de moi;
Ce flambeau de mélèse
Brûlera devant toi;
Goûte de ce laitage.
Mais tu ne manges pas?
Tu te sens de l'orage.
Il a lassé tes pas. [bis]

En passant par la Lorraine

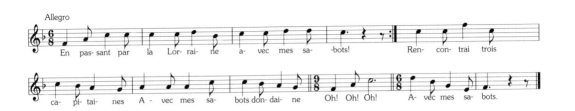

En passant par la Lorraine, (bis)
Avec mes sabots,
Rencontrai trois capitaines,
Avec mes sabots, dondaine,
Ho! Ho! Ho!
Avec mes sabots!

Rencontrai trois capitaines,
Avec mes sabots!   (bis)
Ils m'ont appelée : vilaine!
Avec mes sabots, dondaine,
Ho! Ho! Ho!
Avec mes sabots!

Ils m'ont appelée : vilaine!
Avec mes sabots!   (bis)
Je ne suis pas si vilaine,
Avec mes sabots, dondaine,
Ho! Ho! Ho!
Avec mes sabots!

Je ne suis pas si vilaine,
Avec mes sabots!   (bis)
Puisque le fils du roi m'aime
Avec mes sabots, dondaine,
Ho! Ho! Ho!
Avec mes sabots!

Puisque le fils du roi m'aime,
Avec mes sabots!   (bis)
Il m'a donné pour étrennes,
Avec mes sabots, dondaine,
Ho! Ho! Ho!
Avec mes sabots!

Il m'a donné pour étrennes,
Avec mes sabots!   (bis)
Un joli pied de verveine,
Avec mes sabots, dondaine,
Ho! Ho! Ho!
Avec mes sabots!

Un joli pied de verveine,
Avec mes sabots!   (bis)
S'il fleurit, je serai reine,
Avec mes sabots, dondaine,
Ho! Ho! Ho!
Avec mes sabots!

S'il fleurit, je serai reine,
Avec mes sabots!   (bis)
S'il y meurt, je perds ma peine,
Avec mes sabots, dondaine,
Ho! Ho! Ho!
Avec mes sabots!

Le roi Dagobert

C'est le roi Dagobert
Qui met sa culotte à l'envers.
Le grand Saint Eloi
Lui dit : «O mon roi!
Votre Majesté
Est mal culottée.»
«Eh bien, lui dit le roi,
Je vais la remettre à l'endroit.»

Le bon roi Dagobert
Fut mettre son bel habit vert.
Le grand Saint Eloi
Lui dit : «O mon roi!
Votre habit paré
Au coude est percé.»
«C'est vrai, lui dit le roi,
Le tien est bon, prête-le moi.»

Du bon roi Dagobert
Les bas étaient rongés des vers.
Le grand Saint Eloi
Lui dit : «O mon roi!
Vos deux bas cadets
Font voir vos mollets.»
«C'est vrai, lui dit le roi,
Les tiens sont neufs, donne-les moi.»

Le bon roi Dagobert
Avait un grand sabre de fer
Le grand Saint Eloi
Lui dit : «O mon roi!
Votre Majesté
Pourrait se blesser.»
«C'est vrai, lui dit le roi,
Qu'on me donne un sabre de bois.»

Le bon roi Dagobert
Voulait s'embarquer sur la mer .
Le grand Saint Eloi
Lui dit : «O mon roi!
Votre Majesté
Se fera noyer.»
«Eh bien, lui dit le roi,
On pourra crier : le roi boit!»

Le bon roi Dagobert
Mangeait en glouton du dessert.
Le grand Saint Eloi
Lui dit : «O mon roi!
Vous êtes gourmand,
Ne mangez pas tant.»
«Bah! Bah!, lui dit le roi,
Je ne le suis pas tant que toi.»

Le bon roi Dagobert
Faisait peu sa barbe en hiver.
Le grand Saint Eloi
Lui dit : «O mon roi!
Il faut du savon
Pour votre menton.»
«C'est vrai, lui dit le roi,
As-tu deux sous, prête-les moi.»

Le bon roi Dagobert
Allait guerroyer en hiver :
Le grand Saint-Eloi
Lui dit : «O mon roi!
Votre Majesté
Me fera geler».
«C'est vrai, lui dit le roi,
Mais tu peux souffler sur tes doigts.»

Du bon roi Dagobert
La perruque était de travers
Le grand Saint Eloi
Lui dit : «O mon roi!
Que le perruquier
Vous a mal coiffé!»
«C'est vrai, lui dit le roi,
Je prends la tignasse pour moi.»

Le bon roi Dagobert
Allait à la chasse au pivert;
Le grand Saint Eloi
Lui dit : «O mon roi!
La chasse au coucou
Vaudrait mieux pour vous.»
«Ah bien, lui dit le roi,
Il faut donc que je tire sur toi.»

Trois jeunes tambours

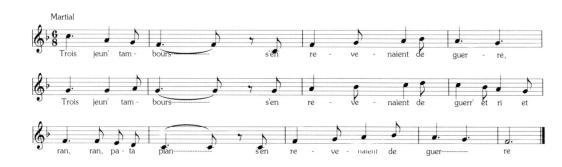

Martial

Trois jeun' tam- bours s'en re ve - naient de guer- re,

Trois jeun' tam- bours s'en re ve - naient de guerr' et ri et

ran, ran, pa- ta plan s'en re ve - naient de guer- re

Trois jeun'tambours s'en revenaient de guerre, (bis)
Et ri et ran, ran pataplan!
S'en revenaient de guerre.

Le plus jeune a, dans sa bouche, une rose, (bis)
Et ri et ran, ran pataplan!
Dans sa bouche, une rose.

La fill' du roi était à sa fenêtre, (bis)
Et ri et ran, ran pataplan!
Etait à sa fenêtre.

Fille du roi, serez-vous donc ma mie, (bis)
Et ri et ran, ran pataplan!
Serez-vous donc ma mie?

Joli tambour, demandez à mon père, (bis)
Et ri et ran, ran pataplan!
Demandez à mon père.

Joli tambour, donnez-moi votre rose, (bis)
Et ri et ran, ran pataplan!
Donnez-moi votre rose.

Sire le roi, donnez-moi votre fille, (bis)
Et ri et ran, ran pataplan!
Donnez-moi votre fille.

Joli tambour, tu n'es pas assez riche, (bis)
Et ri et ran, ran pataplan!
Tu n'es pas assez riche.

J'ai trois vaisseaux dessus la mer jolie, (bis)
Et ri et ran, ran pataplan!
Dessus la mer jolie.

Joli tambour, tu auras donc ma fille, (bis)
Et ri et ran, ran pataplan!
Tu auras donc ma fille.

Sire le roi, je vous en remercie, (bis)
Et ri et ran, ran pataplan!
Je vous en remercie.

Dans mon pays, 'y en a de plus jolies.   [bis]
Et ri et ran, ran pataplan!
'Y en a de plus jolies.

Quelques mots à propos des chansons que tu viens de découvrir...

Il pleut bergère

Sais-tu que les bergers et les paysans habitaient des maisons couvertes d'un toit de chaume? On les appelait des chaumières.
Elles étaient fort humbles, ne comprenant souvent qu'une seule pièce chauffée par une grande cheminée. Le soir, à la veillée, après avoir rentré le troupeau à la bergerie, les bergers se réunissaient autour d'un bon feu.

En passant par la Lorraine

Nous voici en Lorraine, en compagnie d'une bergère chaussée de sabots. Longtemps, les paysans et les gens du peuple ont porté des sabots de bois qu'ils remplissaient de paille en hiver. Les bourgeois, les nobles, les soldats portaient, eux, des chaussures de cuir fabriquées sur mesure par le cordonnier.

Le roi Dagobert

Qui était le roi Dagobert? Eh bien, c'était un roi mérovingien qui régna durant seize ans et qui mourut il y a bien longtemps, en 638. Le grand Saint Eloi était son ministre et le conseillait sagement. Mais cette chanson écrite en 1750 se moque en fait des souverains de l'époque et en premier lieu de Louis XV.

Trois jeunes tambours

Voici une jolie histoire qui finit bien mal. Une princesse tombe amoureuse d'un jeune tambour revenu de la guerre. Mais comme le mariage était jadis une affaire d'argent et de position sociale, le jeune soldat doit d'abord dévoiler son avoir et son rang pour que le père de la belle accepte. Finalement il renonce, car dans son pays, il y en a de plus jolies!

ISBN : 2-8006-1559-1
N° d'impression : 14949312

© Editions HEMMA
Dépôt légal : 6.91/0058/20